Binet
Les Bidochon 10
usagers de la route

FLUIDE GLACIAL

Binet.

Les Bidochon usagers de la route

1

JE PERDS DE L'EAU, DE L'HUILE, DE L'ESSENCE, DES BOULONS... J'AI DES BRUITS SUSPECTS, DES RATÉS, DES CLIQUETIS, DES HOQUETS... C'EST PLUS UNE BAGNOLE, C'EST UN KIT!!
C'EST VERT!

TUUUU
TUUP
TUPT
TPT
PT
PF

ET VOILÀ! LE KLAXON NOUS LÂCHE AUSSI!!
FUMIER!!

ÉCOUTE! MOI AUSSI ÇA M'ÉNERVE, MAIS C'EST PAS UNE RAISON POUR S'ÉNERVER!!
MAIS, JE CHAUFFE, MOI, PENDANT CE TEMPS-LÀ! JE CHAUFFE!!

ET SI TU ESSAYAIS D'APPUYER UN PEU MOINS SUR L'ACCÉLÉRATEUR?
POUR QUE JE CALE!!!
JUSTE POUR LUI DONNER UN PEU D'AIR!

ROoooooooo

PET

ET VOILÀ, TOI ET TES IDÉES!!!
DE TOUTE FAÇON, À LA VITESSE OU ON AVANCE, C'EST PAS LE TEMPS QUI MANQUE POUR LA FAIRE REDÉMARRER!

EN PLUS, C'EST ROUGE!
REU
REU
REU
REU
REU
REU
REU
REU
REU
REU
REU
REU
GMN

2

REU REU REU REU REU REU REU REU REU REU REU REU
C'EST VERT!

?
VROOOOOOOOOO

REU REU REU REU REU REU REU REU REU REU
TUUUU TUUU TUUU TUUUU TUUU TUU

REU REU REU REU PROUT PROUT
VRAOOOO
AH! ÇA Y EST!!
TUUU TUUU TUUU

ALLONS-Y!
VRAOOOO
VRAOOO VRAOOO

C'EST ROUGE!!!!
?

T'AS FAILLI CAUSER UN ACCIDENT!!!
C'EST À CEUX QUI SONT DERRIÈRE DE RESTER MAÎTRES DE LEUR VÉHICULE!

JUSTEMENT, CELUI QUI EST DERRIÈRE SORT DU BROUILLARD ET SE DIRIGE VERS NOUS AVEC UN AIR PAS CONTENT!!
DU BROUILLARD???
AVEC MES PHARES DÉTRAQUÉS!!

ALORS, C'EST PAS ASSEZ D'EMPÊCHER TOUT LE MONDE DE SORTIR DE CETTE RUE, IL FAUT, EN PLUS, QUE VOUS ASPHYXIIEZ TOUT LE QUARTIER ?!!
BONG BONG BONG

ÇA SENT LE JOINT DE CULASSE, CROIS-MOI!
ET C'EST EMBÊTANT, ÇA, LE JOINT DE CULASSE?
EMBÊTANT ??! MAIS, C'EST LE POUMON D'UNE AUTO!
GARAGE
CLOC CLOC CLOC CLOC CLOC CLOC

BONJOUR MONSIEUR! C'EST VOUS LE PATRON?
C'EST POURQUOI?

J'AI UN PETIT PROBLÈME SUR MA VOITURE...
HOPF! J'AI PAS LE TEMPS!!!!!
Y A UN PEU DE FUMÉE QUI SORT PAR LE POT...

J'AI DÉJÀ UN CARDAN ET UNE POMPE À HUILE SUR LES BRAS, ALORS, VOUS PENSEZ!!
VOUS VOULEZ PAS Y JETER UN COUP D'OEIL QUAND MÊME?

SI C'EST CE QUE JE PENSE, IL FAUT DÉPOSER LE MOTEUR, ET ÇA, Y EN A POUR LA JOURNÉE... ET ENCORE! A CONDITION DE NE PAS ÊTRE CONSTAMMENT DÉRANGÉ!
ALORS, C'EST NON?

VOYEZ MON COLLÈGUE A LA SORTIE DU PAYS, PEUT-ÊTRE QU'IL POURRA, LUI!

GARAGE
CLOC
CLOC
CLOC

BONJOUR MONSIEUR, JE V
HOPF! J'AI PAS L'TEMPS!!!!!

C'EST BIEN TOUS LES MÊMES!!
IL NOUS A QUAND MÊME DONNÉ UNE ADRESSE: "LE RELAIS DE L'ESPÉRANCE", A ENVIRON UN KILOMÈTRE!
CLOC
CLOC
CLOC
CLOC
CLOC
CLOC
CLOC

RELAIS DE L'ESPÉRANCE
KLANG
KLANG
C'EST ÇA!

LAIS DE L'ESPÉRANC
KLANG
KLANG
KLANG
j'ai pas le temps!

5

COMME ÇA, Y'A PLUS QU'À CREVER!
LÀ-BAS! UN AUTRE GARAGE!!

MAIS...??
TU...
GARAGE

TU NE T'ARRÊTES PAS?
IL A PAS LE TEMPS!!

ÇA MET LONGTEMPS À ARRIVER UNE DÉPANNEUSE?
ÇA DÉPEND D'OÙ ELLE VIENT...
ET ÇA DÉPEND SI LE DÉPANNEUR A LE TEMPS!!

QU'EST-CE QU'ON VA FAIRE SI LA VOITURE EST FICHUE?
EH BIEN, ON EN RACHÈTERA UNE AUTRE!!
ON VA ENCORE SE METTRE DES DETTES SUR LE DOS!

DIRE QU'ON VENAIT TOUT JUSTE DE FINIR DE PAYER CELLE-LÀ! ON EN AURA PAS PROFITÉ LONGTEMPS!!
ON L'A QUAND MÊME EUE PENDANT 150.000 KILOMÈTRES!

6

ALORS, C'EST GRAVE DOCT-HEU... EST-CE QUE VOUS POUVEZ RÉPARER?
ON PEUT TOUJOURS, MAIS ÇA VA VOUS COÛTER PLUS CHER QUE LA VOITURE!

ALORS, Y A RIEN À FAIRE?
SI!
Y A PLUS QU'À LA METTRE À LA CASSE!

À LA CASSE!!! MA PAUVRE PETITE VOITURE! APRÈS TOUTES CES ANNÉES!!

NOOOOOONNN, JE NE POURRAI PAAAAS!!!

POURTANT, TOI-MÊME, TU DISAIS QU'IL FAUDRAIT EN ACHETER UNE AUTRE!!
JE SAIS!! MAIS C'EST TELLEMENT INJUSTE!!

LAISSEZ-LA MOI, SI ÇA VOUS COÛTE, J'AI L'HABITUDE, JE M'EN CHARGERAI!

ELLE NE SOUFFRIRA PAS!

7

EST-CE QU'IL FAUT FAIRE LA QUEUE LEU LEU, COMME ÇA, À CHAQUE VOITURE?
OUI, SI TU VEUX LES ESSAYER!
VROUM VROUM
11ème SALON DE L'AUTO

FERRARI
ELLES ROULENT MÊME PAS!
Y A PAS BESOIN QU'ELLES ROULENT!
VROUM VROUM TU-TÛT!

IL SUFFIT DE S'ASSEOIR DEDANS ET TU VOIS TOUT DE SUITE SI TU L'AS BIEN EN MAIN!
VROUM VROUM VROUM
BON! ÇA SUFFIT, MAINTENANT, UN PEU AUX AUTRES!!

VROUM VROUM
RIEN QUE LA CARROSSERIE, ÇA T'EN DIT DÉJÀ LONG SUR LA VOITURE!
VROOOAAA
BEN QUOI? C'EST UNE CARROSSERIE COMME UNE AUTRE!!

ET LE TABLEAU DE BORD! T'AS VU CE TABLEAU DE BORD?
BEN QUOI? C'EST UN TABLEAU DE BORD COMME UN AUTRE!
VROUM VROUM.. IIIIIIII

TIENS, VA DE L'AUTRE CÔTÉ! UNE FOIS ASSISE, TU CHANGERAS PEUT-ÊTRE D'AVIS!

WOUA, LA CAISSE!!
MAIS...!!

8

DIS-DONC, TOI, C'EST PAS LA COUR DE RÉCRÉ, ICI! ALLEZ, OUST! FICHE-MOI LE CAMP!!!

TU AURAIS PU LE LAISSER DEUX SECONDES! ÇA NOUS GENAIT PAS BEAUCOUP!
UNE VOITURE N'EST PAS UN JOUET!!

VROUM VROUM TU-TUT!

ALORS? ON EST BIEN ASSIS, NON?
BEN QUOI? ON EST ASSIS COMME DANS UNE VOITURE!
TU SENS AUCUNE DIFFÉRENCE?
OPF! POUR MOI, TOUTES LES VOITURES SE RESSEMBLENT!

PARCEQUE, QUAND TU FAIS TON MARCHÉ, TU FAIS PAS LA DIFFÉRENCE ENTRE UN POIREAU ET UNE TOMATE?
MAIS SI! UNE TOMATE, C'EST ROUGE ET UN POIREAU C'EST VERT!!

ET ALORS? Y A PAS DES VOITURES ROUGES ET DES VOITURES VERTES, PEUT-ÊTRE?
SI! SAUF QU'UN POIREAU, ON VOIT TOUT DE SUITE QUE ÇA RESSEMBLE PAS A UNE TOMATE!
PARCE QUE, D'APRÈS TOI, UNE VOITURE ÇA RESSEMBLE A UNE PLAQUE D'ÉGOUT??

NON, A UNE VOITURE! ALORS QU'UN POIREAU ÇA RESSEMBLE PAS A UNE TOMATE!
C'EST LA VOITURE, ALORS, QUI RESSEMBLE A UNE TOMATE!
J'AI PAS DIT ÇA!
A UN POIREAU, ALORS?
POURQUOI UN POIREAU?
OUI, UN POIREAU!
QUEL POIREAU?
MAIS, UN POIREAU!

C'EST LE POIREAU QUI NE RESSEMBLE PAS A LA TOMATE, ALORS QUE LA VOITURE RESS
DITES! ÇA VOUS ENNUIERAIT D'ALLER DISCUTER DE TOUT ÇA, AILLEURS?

9

ROLLS ROYCE
TIENS ! SI TU VEUX DE LA DIFFÉRENCE, TU VAS ÊTRE SERVIE !

UN INSTANT, MESSIEURS DAMES !
VOUS DÉSIREZ ?
C'EST POUR ESSAYER !

EST-CE QUE VOUS SOUHAITEZ ACQUÉRIR CE VÉHICULE ?
PARDON ?
VOUS NE POUVEZ ESSAYER CE VÉHICULE QUE SI VOUS COMPTEZ RÉELLEMENT L'ACHETER !
ET COMMENT VOUS VOULEZ QU'ON L'ACHÈTE SI ON PEUT PAS L'ESSAYER AVANT ?
JE RISQUE PAS MES ÉCONOMIES SANS SAVOIR SUR QUOI !

ALORS, JE SUIS DÉSOLÉ, MAIS C'EST IMPOSSIBLE !
EST-CE QU'ON PEUT, AU MOINS, AVOIR UN PROSPECTUS ?
JE REGRETTE, MAIS NOUS NE FAISONS PAS LE PROSPECTUS !

ON VA ALLER AILLEURS ! C'EST PAS LES GROSSES MARQUES QUI MANQUENT, ICI !
HEU... ROBERT !

① J'AI LES PIEDS : ☐ LEGERS ☐ TIRAILLÉS ☒ COMME DU PLOMB
② JE SUIS : ☐ GAIE ☒ MAUSSADE ☐ FURIEUSE
③ J'EN AI : ☐ JAMAIS ASSEZ ☐ ASSEZ ☒ PLUS QU'ASSEZ

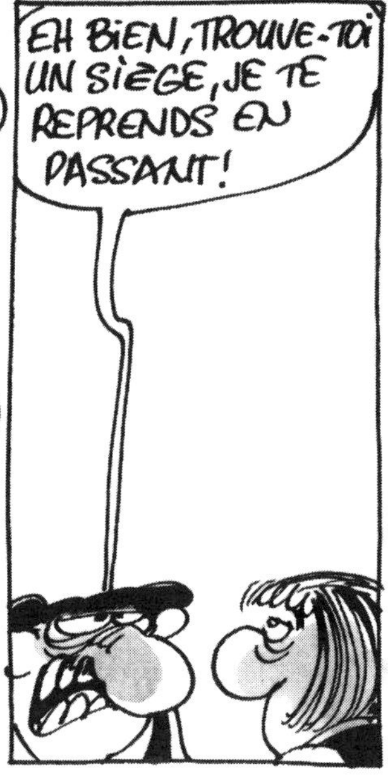
EH BIEN, TROUVE-TOI UN SIÈGE, JE TE REPRENDS EN PASSANT !

ELLE VEUT TOUJOURS VENIR, ET QUAND ELLE Y EST, ÇA VA JAMAIS !
ACCESSOIRES AUTOMOBILE
10

... CAR LA MOQUETTE DE LA RONO5 A ÉTÉ ÉTUDIÉE POUR VOTRE PLUS GRAND CONFORT...
ELLE A PAS SOUVENT DÛ METTRE LES MAINS DANS LE CAMBOUIS!
ÇA FAIT DIX MINUTES QU'ELLE NOUS PARLE DE LA MOQUETTE!
C'EST DES TRUCS POUR NOUS EMBOBINER!

... AVEC SES 5cm D'ÉPAISSEUR, LA MOQUETTE DE LA RONO5 EST UN VRAI PLAISIR...
LAISSEZ-MOI PASSER! LAISSEZ-MOI PASSER!
VOUS GÊNEZ PAS! BOUSCULEZ TOUT LE MONDE!
IL EN A DU CULOT, CELUI-LÀ!

J'ARRIVE À TEMPS! JE VOULAIS AB-SO-LU-MENT VOIR LA RONO5, CAR ON M'A DIT BEAUCOUP DE BIEN DE LA RONO5, ET, SAPERLIPOPETTE, J'AIMERAIS BIEN EN SAVOIR PLUS SUR LA RONO5!
NOUS AUSSI!

MAIS, VOUS AVEZ JUSTEMENT UN MICRO DEVANT VOUS, CHER MONSIEUR!
UN MICRO! COMME C'EST SYMPATHIQUE!
APRÈS, VOUS ME LE PASSEREZ! MOI AUSSI J'AI DES QUESTIONS À LUI POSER!

TOUT D'ABORD, POUVEZ-VOUS ME DIRE COMBIEN DE COLORIS EXISTENT POUR LA MOQUETTE DE LA RONO5?
ON LE SAIT DÉJÀ, ÇA! C'EST PAS ÇA QU'IL FAUT LUI DEMANDER!
QUATORZE COLORIS!

QUELLE EST LA COMPOSITION DE LA MOQUETTE DE LA RONO5?
60% LAINE 40% VISCOSE!
MAIS NOOON! DEMANDEZ-LUI PLUTÔT LE TEMPS D'ACCÉLÉRATION AUX 400 MÈTRES!
TENEZ, PASSEZ-MOI LE MICRO!

ET EST-CE QUE LA MOQUETTE EST
PASSEZ-MOI LE MICRO, JE VOUS DIS!!
MAIS...!!
11

VOUS ALLEZ ME LAISSER FAIRE MON BOULOT, À LA FIN!!!
HEIN???

ALLONS! ALLONS! JE SUIS SÛRE QUE LES AMIS DE LA RONO5 SONT TOUS DES GENS CALMES ET COURTOIS!
C'EST PAS LE TEXTE???

SI CE CHARMANT JEUNE HOMME VEUT ME POSER DES QUESTIONS SUR LA RONO5, QU'ON LUI DONNE LE MICRO ET QU'IL ME POSE TOUTES LES QUESTIONS QU'IL SOUHAITE!
HEU... JE... JE VOUS PRÉVIENS, CE... C'EST TRÈS TECHNIQUE!

MAIS, SUCCOMBER À VOTRE PUGNACITÉ SERA MON PLUS GRAND PLAISIR!
TU-TÛT

HOUSSES POUR AUTOS
AH! TU ES LÀ!
QU'EST-CE QUE TU AS TROUVÉ COMME VOITURE?
UNE RONO5!

C'EST BIEN, ÇA, UNE RONO 5?
T'AS QUATORZE COLORIS DE MOQUETTES AVEC 40% DE VISCOSE!

REGARDE CE QUE J'AI ACHETÉ!
ÇA REMUE LA TÊTE À CHAQUE CAHOT!
C'EST POUR METTRE SUR LA TABLETTE ARRIÈRE DE NOTRE NOUVELLE VOITURE!
MH! JE PENSE QUE ÇA LUI PLAIRA!

12

GARAGE
ROMO
CONCESSIONNAIRE
MADAME ET MONSIEUR BIDOCHON, BONJOUR!
BONJOUR MONSIEUR!

VOUS VENEZ CHERCHER VOTRE VOITURE?
OUI!

VOILA LA BÊTE!
AH AH AH

D'ABORD, QUE JE VOUS MONTRE L'ESSENTIEL DU MOTEUR!
CLONK

ALORS, ICI LA JAUGE D'HUILE, LE REMPLISSAGE, LE LIQUIDE POUR LES FREINS, ET LÀ, LE CRIC!
LA ROUE DE SECOURS EST À L'ARRIÈRE!

CLONK

VOUS VOYEZ LE BOULON QUI EST ICI? IL DÉGAGE LA ROUE DE SE-COURS SOUS LA VOITURE!

13

SINON, ON VOUS A POSÉ TOUTES LES OPTIONS QUE VOUS AVEZ DEMANDÉES!
LE SYSTÈME D'ALARME AUSSI?
OUI, JE VAIS VOUS EXPLIQUER COM-MENT ÇA MARCHE!

¡MAGINEZ QUE VOUS VOUS GAREZ! VOUS SORTEZ DE VOTRE VOITURE...
CLOK

... VOUS REFERMEZ LA PORTIÈRE...
CLONK

... ET À L'AIDE DE CETTE COMMAN-DE À INFRAROUGE, VOUS EN-CLENCHEZ LE DISPOSITIF D'A-LARME!
CLIC

À PARTIR DE LÀ, SI UNE PERSONNE MAL INTENTION-NÉE TOUCHE À VOTRE VÉHICULE, LE SIGNAL D'ALARME RETENTIT IMMÉDIATEMENT!

OUIIIK
OUIIIK
OUIIIK
VOUS VOYEZ?

POUR NEUTRALISER LE SYSTÈME, C'EST L'INVERSE!
OUIIIK
PLOP
ET VOILÀ!

EH BIEN, MAINTENANT, VOUS SAVEZ TOUT! ELLE EST À VOUS!

POUR QUELQU'UN QUI VIENT D'ACHETER UNE VOITURE NEUVE, T'AS PAS L'AIR TRÈS RÉJOUI !
CE QUI NE ME RÉJOUIT PAS, C'EST D'AVOIR À LA RELAVER EN ARRIVANT !
ROXO

LA RELAVER?? POURQUOI FAIRE??? ELLE EST TOUTE PROPRE!!
ÉTAIT TOUTE PROPRE!! SEULEMENT, AVEC SES MAINS MOITES, LE VENDEUR A LAISSÉ SES EMPREINTES SUR TOUTE LA CARROSSERIE!!

BOF! FAUT QUAND MÊME PAS EXAGÉRER!!
JE SAIS QUE ÇA PEUT PARAÎTRE TATILLON, MAIS C'EST DES RIENS COMME ÇA QUI TE DÉGRADENT UNE BAGNOLE EN MOINS DE DEUX !

D'AILLEURS, ÉVITE DE FROTTER TES PIEDS, ÇA USE LA MOQUETTE...

ET NE T'APPUIE PAS SUR LE DOSSIER, ÇA FROISSE LE TISSU...

ET ARRÊTE DE RESPIRER, ÇA FAIT DE LA BUÉE SUR LA VITRE...

C'EST INDISPENSABLE L'EAU MINÉRALE POUR RINCER LA VOITURE ?
ÇA ÉVITE LES TRACES DE CALCAIRE!

C'EST POUR LUSTRER LA SERVIETTE DE TOILETTE ?
OUI! TU M'AS DIT QUELQUE CHOSE DE DOUX!

15

ET T'AS PAS PLUS DOUX?
ON S'EN SERT TOUS LES MATINS POUR LA FIGU
T'AS PAS PLUTÔT DU COTON HYDROPHILE?

DU... POUR... ???
ALORS, VA EN CHERCHER, JE PRÉFÈRE NE PAS PRENDRE DE RISQUES!

PENDANT QUE TU Y ES, RAMÈNE DONC QUELQUES "COTON TIGE" POUR FAIRE DANS LES COINS!

ET AUSSI L'EAU DE COLOGNE!

ROBERT, EST-CE QUE TU COMPTES LUSTRER TOUTE LA NUIT?
NON! NON! J'ENCLENCHE L'ALARME ET J'ARRIVE!

CLIC

ET MAINTENANT, AU LIT!

OUiiiK
OUiiiK
OUiiiK

CE... C'ÉTAIT QUI ?
JUSTE UNE FEUILLE MORTE SUR LE CAPOT!

OUIIIK
OUIIIK...
OUIIIK

ET LÀ... C'ÉTAIT QU... QUOI ?
UNE PLUME !

OUIIIK
OUIIIK
OUIIIK

C'ÉTAIT QUOI ?
UN COURANT D'AIR!

OUIIIK
OUIIIK
OUIIIK

C'ÉTAIT QUOI ?
RIEN !
C'ÉTAIT JUSTE POUR M'EMMERDER!

BURP!

T'EN FAIS UNE TÊTE!!
TU SAIS BIEN QUE LES VOYAGES EN VOITURE ÇA ME REND MALADE D'AVANCE!!
BURP!

T'AS PRIS TA NAUTAMINE?
JE L'AI PRISE EN LONG ET EN LARGE, MAIS ÇA N'A RIEN FAIT!
BURP!

ALORS, C'EST L'APPRÉHENSION!
SI TU PENSAIS À AUTRE CHOSE, TU N'Y PENSERAIS PAS!

AAAAAAH! ÇA FAIT PLAISIR DE MONTER DANS UNE VOITURE NEUVE!! CES SIÈGES IMMACULÉS, CETTE MOQUETTE SANS TACHES, CES VELOURS ET CES ORS ÉTINCELANTS!!
JE CROIS QUE JE VAIS VOMIR!

EN PLUS, CETTE ODEUR DE NEUF!
PENSE À AUTRE CHOSE, JE T'AI DIT!!

TIENS! PRENDS CETTE CARTE ET DONNE-MOI LES DIRECTIONS, ÇA VA T'OCCUPER!!
COMMENT JE FAIS?

TU SUIS LA ROUTE ET TU ME DIS QUAND ÇA BIFURQUE!
BON!
ALORS, EN ROUTE!!
18

APRÈS LA PALISSADE, TU PRENDS LA PREMIÈRE À GAUCHE !

ÉCOUTE, SI TU DOIS ME SIGNALER TOUS LES TOURNANTS DU PARCOURS, ÇA VA VITE DEVENIR PÉNIBLE, ALORS, ATTENDS, AU MOINS, D'ÊTRE À UN CARREFOUR !

JE CROIS QUE JE VAIS VOMIR !
BURP !

BON ! TRÈS BIEN ! DONNE - LES TES DIRECTIONS !!!
EH BIEN, C'EST TOUT DROIT !

C'EST TOUJOURS TOUT DROIT !

C'EST ENCORE TOUT DROIT !

C'EST
BON, LAISSE TOMBER, ON VA FAIRE AUTREMENT !

19

ON EST PAS ARRIVÉS!

JE VAIS LAISSER LE CARREAU OUVERT, ÇA VA ME FAIRE DU BIEN!
C'EST ÇA! C'EST ÇA!
90
RAPPEL

TU PEUX PAS ROULER PLUS VITE POUR FAIRE PLUS D'AIR?
JE SUIS DÉJÀ À 90, JE NE TIENS PAS À ME FAIRE PINCER POUR EXCÈS DE VITESSE!!

TAMPONNE-TOI LE VISAGE AVEC DE L'EAU FRAÎCHE, Y EN A DANS LA THERMOS!

TIENS, CELUI-LÀ, C'EST PAS L'AIR QUI DOIT LUI MANQUER!!
REGARDE-MOI CE FOU!
GLOU GLOU GLOU

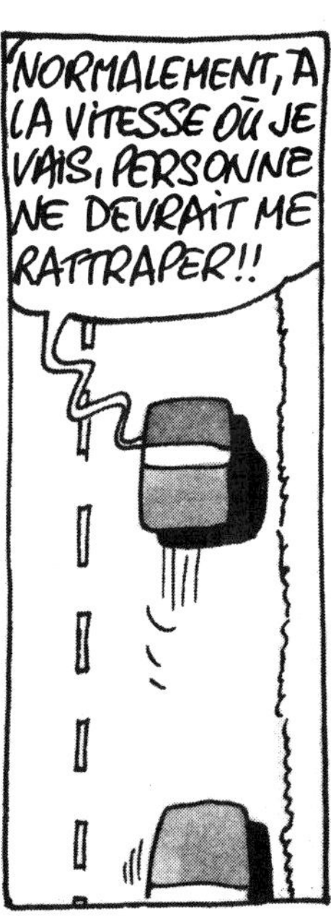
NORMALEMENT, À LA VITESSE OÙ JE VAIS, PERSONNE NE DEVRAIT ME RATTRAPER!!

MAIS, IL VA ME DOUBLER, EN PLUS, CET ENFOIRÉ!!

VROOOOOOOO.....

20

PRÉVIENS QUAND TU ACCÉLÈRES!!
DÉSOLÉ, MAIS LA LIMITATION DE VITESSE DOIT ÊTRE LA MÊME POUR TOUT LE MONDE!
TUUT TUUT TUUT

OOOH, TU PEUX KLAXONNER, VA, MAIS T'ES BIEN FORCÉ D'ATTENDRE, MAINTENANT!!
TUUUT TUUUT TUUUT

L'ENFOIRÉ, IL NOUS DÉBORDE PAR LE BAS-CÔTÉ!!
CRAMPONNE-TOI, J'ACCÉLÈRE!!
GLOU GLOU GLOU

LE CON!!

OH!!!!!
VROOAAAAA...

ATTENDS QUE JE TE FOUTE PLEIN PHARES DANS LA GUEULE, ENCULÉ!!
CLIC CLIC CLIC

ÉCOUTE, ÇA FAIT DEUX FOIS QUE TU ME TREMPES, ALORS, EST-CE QUE TU PEUX ARRÊTER DE T'ÉNERVER ??
AH ! PARCEQUE C'EST MOI QUI M'ÉNERVE ??

C'EST MOI QUI ROULE À PLUS DE 90 ET QUI DOUBLE SUR LES BAS-CÔTÉS PEUT-ÊTRE ?
AU LIEU DE T'ÉNERVER, TU FERAIS MIEUX DE REGARDER LA ROUTE ! Y A UNE VOITURE QUI NOUS A CROISÉS ET QUI NOUS A FAIT UN APPEL DE PHARES !!

T'ES SÛRE ??

TIENS ! ENCORE UNE !!
BON SANG ! ÇA SENT LE RADAR !!!

MIEUX VAUT RÉTROGRADER !!
LÀ ! ENCORE UNE !
C'EST TOUT DE MÊME BEAU, LA SOLIDARITÉ ENTRE AUTOMOBILISTES !

MERCI LES GARS ! MERCI !
ENCORE UNE AUTRE !!
C'EST VRAIMENT TRÈS BEAU !

ET ENCORE UNE !!
MERCI, MAIS, ÇA Y EST, LES GARS, ON ME L'A DÉJÀ DIT !!

ENCORE UNE !
J'AI DIT "ÇA SUFFIT" MAINTENANT !!!
ENCORE UNE !!

MAIS VOUS ALLEZ LA FERMER, MEEERDE!!
ROBERT! LA POLICE!!

POURQUOI IL NOUS ARRÊTE??
J'AI TOUT FAIT COMME ILS DISENT!!

BONJOUR MONSIEUR! POLICE DE LA ROUTE!!
OUI, JE VOUS AI RECONNU!

MONSIEUR, VOUS ROULEZ AVEC VOS PHARES ALLUMÉS!

OUF! EH BIEN, ON L'A ÉCHAPPÉ BELLE! COMME QUOI, IL FAUT FAIRE GAFFE!!

A PARTIR DE MAINTENANT, JE ME TIENS PEINARD ET JE ROULE TRANQUILLE-MENT, DANS LE CALME ET LA SÉRÉNITÉ!

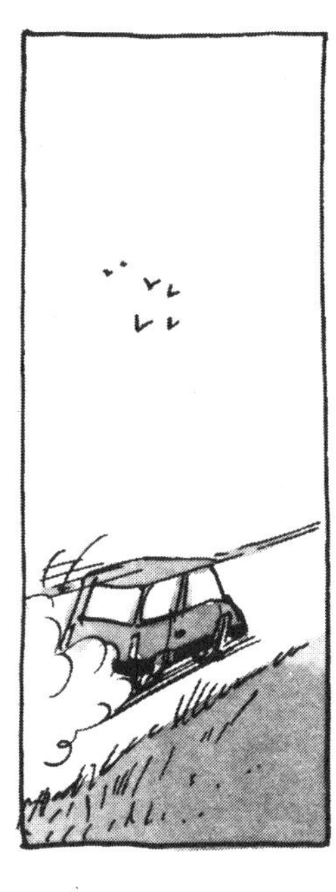

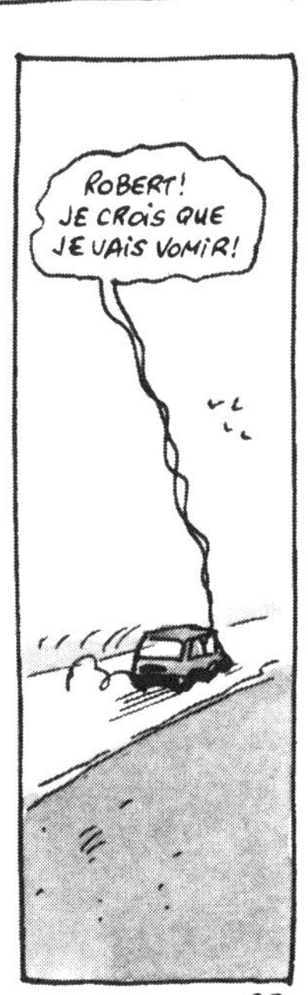
ROBERT! JE CROIS QUE JE VAIS VOMIR!

23

SI TU T'ARRÊTES PAS, JE VAIS VOMIEUARK PARTOUT!
SI ON DOIT S'ARRÊTER TOUS LES KILOMÈTRES, ON ARRIVERA JAMAIS À L'HEURE PRÉVUE!!

ESSAIE DE TE RETENIR! OCCUPE-TOI, REGARDE LE PAYSAGE, COMPTE JUSQU'À 5.000...
BRÖÖÖT

HOUUUUU!! HEUREUSEMENT QU'ON ROULE LES FENÊTRES OUVERTES!!
ÇA ME REMONTE DANS LA BOUCHE, J'Y PEUX RIEN!!

ENFIN, BON SANG, T'AS DÉJÀ TOUT DÉGUEULÉ Y A DEUX MINUTES, QU'EST-CE QUE TU VEUX ENCORE NOUS DÉGUEULER ??
JE... BRÖÖÖ BRUARK!!

ÇA REMONTE !
BON! BON! JE M'ARRÊTE! JE M'ARRÊTE!!
PÉDÉ!

AH, TIENS! TOUT DE MÊME!

SI ON SE PERD, ON AURA PAS DE MAL À RETROUVER NOTRE CHEMIN!
AH, J'TE JURE!!

24

ÇA Y EST ??
OUI!
SÛR, HEIN! PARCEQUE JE PRÉFÈRE ATTENDRE UNE MINUTE DE PLUS PLUTÔT QUE DE M'ARRÊTER A NOUVEAU DANS UN KILOMETRE!!
NON, NON, ÇA VBUARK!

BON, ALORS...
???
QU'EST-CE QU'IL FOUT ASSIS DANS MA VOITURE, CELUI-LÀ???

ET SUR MES SIÈGES PROPRES, EN PLUS!! AH, IL EST PAS GÊNÉ, LUI!!
D'ABORD, VOUS VOUS ARRETEZ, ET MAINTENANT, VOUS VOULEZ QUE JE DESCENDE!! FAUDRAIT SAVOIR!

JE NE ME SUIS PAS ARRÊTÉ!!
ROBERT, JE ME SENS MAL...

NE ME DIS PAS QUE TU VAS DÉGUEULER A NOUVEAU??
J'AI DES BOUFFÉES FROIDES!!

EST-CE QUE TU PEUX FERMER LA PORTIÈRE ET METTRE LE CHAUFFAGE...
LE CHAUFFAGE!! EN CETTE SAISON??
EN PLUS, POUR CHAUFFER, IL FAUT ROULER, ET JE PEUX PAS ROULER TANT QUE CET ABRU
BRUÊRK

BRUORK BRDOKKP
BON! BON! JE ROULE! JE ROULE!!

25

NON, MAIS, J'AI UNE DIARRHÉE, C'EST PAS MIEUX!

26

TU ES SÛR QUE LE CHAUFFAGE MARCHE?
IL EST AU MAXIMUM!!
J'AI TOUJOURS FROID!
DÉSOLÉ, MAIS JE NE PEUX RIEN FAIRE DE PLUS!!
CLAC CLAC CLAC

VOUS... ÇA NE VOUS ENNUIE PAS SI JE ME COUVRE AVEC VOTRE BLOUSON, MONSIEUR?
MON BLOUSON??

HEU... SURTOUT, FAUT Y FAIRE GAFFE, HEIN! ÇA M'EMBÊTERAIT DE LE DONNER À NETTOYER!!
MERCI!

BRÔÔÔT

EXCUSEZ-MOI!
APRÈS ÇA, NE VIENT PAS ME DIRE QUE C'EST PAS DIGESTIF!

SI C'ÉTAIT DIGESTIF, JE L'AURAIS VU QUAND J'AI VOMI...

...ALORS QUE LÀ, C'ÉTAIT SURTOUT DES GLAIRES!!
UNE RONO 5 GRISE: 105!
VROOOOO

LES FLICS???

VOUS N'ÊTES PAS RECHERCHÉ PAR LA POLICE, AU MOINS ?
PARCE QU'IL NE MANQUERAIT PLUS QUE ÇA!!
CLAC CLAC CLAC

MONSIEUR, VOUS ROULIEZ A 105 KILOMÈTRES/HEURE! VOUS RECONNAISSEZ LES FAITS ?
JE...
DANS CE CAS, JE VAIS VOUS DEMANDER DE ME SUIVRE DANS LA FOURGONNETTE AVEC LES PAPIERS DU VÉHICULE!!

IL EST A VOUS, CE GRAND GARÇON, MADAME ?
IL A PAS L'AIR BIEN!
VOUS AVEZ PAS L'AIR BIEN, NON PLUS!
JE VAIS VOUS DEMANDER DE BIEN VOULOIR SOUFFLER DANS L'ALCOOTEST, S'IL VOUS PLAIT!
MAIS... JE SUIS A JEUN!
CLAC CLAC CLAC
POLICE
POLIC

SIMPLE CONTRÔLE DE ROUTINE!!
ET IL FAUT QUE JE SOUFFLE LONGTEMPS, LA-DEDANS ??
JE VOUS DIRAI QUAND IL FAUDRA VOUS ARRÊTER!!

CHEF! LAISSEZ TOMBER L'ALCOOTEST, Y A BEAUCOUP MIEUX DEHORS!!
J'ARRIVE!

INCROYABLE! MÊME LA VIEILLE! TOUS LES DEUX DÉFONCÉS A MORT!!
POUR LA DERNIÈRE FOIS, MADAME, VEUILLEZ REMONTER LES MANCHES DE VOTRE BLOUSON!!
CLAC CLAC CLAC
POLICE
POL

28

RN
AUTOROU
RRRR
RRR
RRRR

ON VA PRENDRE L'AUTO-ROUTE, ÇA VA NOUS FAIRE GAGNER DU TEMPS!
EN PLUS, Y A MOINS DE TOURNANTS, TU SUPPORTERAS MIEUX!!
HEIN?
HEI?
HÉ?
H?
RRR
RR
RRR

RRRR
RRRR

EH BIEN, HEUREUSEMENT QU'IL Y A LA RADIO POUR ME TENIR COMPAGNIE!!
CLIC

LE POINT SUR LA CIRCULATION VOUS EST OFFERT PAR PASTIS 81!

EH BIEN, JEAN-FRANÇOIS, JE ME TROUVE EN CE MOMENT AU PC DE LA CIRCULATION ROUTIÈRE EN COMPAGNIE DE MON COMMANDANT!
PASTIS

ALORS, MON COMMANDANT, C'EST UN DÉPART CALME, DIRAIT-ON?
AFFIRMATIF! LA CIRCULATION EST FLUIDE ET IL NE DEVRAIT Y AVOIR AUCUN PROBLÈME AUJOURD'HUI!

29

QUEL CONSEIL POUVEZ-VOUS DONNER À CEUX QUI NOUS ÉCOUTENT?
DE S'AUTODISCIPLINER!
CEUX QUI PRENNENT LA ROUTE DOIVENT SAVOIR QU'ON NE PEUT METTRE UN GENDARME DERRIÈRE CHAQUE AUTOMOBILISTE! C'EST DONC À CHACUN D'ÊTRE SON PROPRE GENDARME!

IL FAUT RALENTIR, ON APPROCHE D'UN CARREFOUR À SENS GIRATOIRE!
RALENTIR??
VOUS N'AVEZ PAS LA PRIOR

JE CROYAIS, AU CONTRAIRE, QU'IL FALLAIT ACCÉLÉRER POUR ESSAYER DE PASSER AVANT L'AUTRE!!

"LES USAGERS ABORDANT LE CARREFOUR DOIVENT CÉDER LE PASSAGE À CEUX QUI SONT DÉJÀ ENGAGÉS SUR LA CHAUSSÉE QUI CEINTURE LE TERRE-PLEIN CENTRAL!"

DONC, IL NE FAUT PAS ACCÉLÉRER POUR ESSAYER DE PASSER AVANT L'AUTRE!
MAIS... TOUT LE MONDE LE FAIT!!
PET PET PET PET PET PET

30

EN PLUS, CE TYPE EST UNE VRAIE TORTUE ! ON VA SE LE TRIMBALER PENDANT DES KILOMÈTRES !!
-À MOINS QUE...
PET PET

PAS DE FLIC EN VUE ?
C'EST BON, ALLONS-Y !

HAAALTE-LÀ !!
"LA LIGNE CONTINUE EST INFRANCHISSABLE !!"

MAIS TOUT LE MONDE LE FAIT !!

AH ! LÀ !!
JE VAIS ENFIN POUVOIR DOUBLER !

"IL EST INTERDIT DE DÉPASSER EN UTILISANT UNE VOIE "TOURNE À GAUCHE" OU EN ROULANT SUR LES ZÈBRAS !"
MAIS TOUT LE MONDE LE FAIT !!

31

PAR CONTRE, ÇA, ATTENTION!!
RAPPELONS-NOUS CE QUI NOUS A ÉTÉ ENSEIGNÉ À L'AUTO-ÉCOLE!

(1) = LA ROUTE EST LIBRE SUR LA DISTANCE NÉCESSAIRE POUR EFFECTUER LA MANOEUVRE!
(2) = IL N'Y A PAS D'USAGER VENANT EN SENS INVERSE.
(3) = AUCUN USAGER VENANT PAR L'ARRIÈRE N'EST SUR LE POINT DE ME DÉPASSER.
(4) = J'AI LA POSSIBILITÉ DE REPRENDRE MA PLACE À DROITE.
(5) = J'AI UNE RÉSERVE D'ACCÉLÉRATION SUFFISANTE!

DONC, JE QUOI?
JE....
JE DOUBLE!
LÀ?
MAINTENANT?
TOUT DE SUITE?
SANS PERSONNE EN FACE?
DANS UNE LIGNE DROITE?

MAIS... PLUS PERSONNE NE LE FAIT!!

C'EST COMPLÈTEMENT DÉMODÉ!

JE ROULE DÉMODÉ!
SANGLOTS
MHM?

QU'EST-CE QUI T'ARRIVE?
C'EST LES NATIONALES!!
IL FAUT PAS FAIRE CECI, IL FAUT PAS FAIRE CELA... J'AI LE DROIT DE RIEN FAIRE!

ENCORE UN PEU DE PATIENCE, ET ON SERA BIENTÔT SUR L'AUTOROUTE !
RN
PÉAGE
C'EST BIEN LA PEINE D'AVOIR AUTANT DE GUICHETS SI C'EST POUR EN CAISSER QU'UN D'OUVERT !
C'EST PARCE QU'ON EST FLUIDES, ILS L'ONT DIT TOUT À L'HEURE À LA RADIO !

TICKETS
BZZZ

TICKETS
PFT

MERDE ! LE TICKET !!
QU'EST-CE QU'IL Y A ?
IL EST SOUS LA VOITURE !!

JE SUIS COINCÉ !
ESSAYE DE TON CÔTÉ !

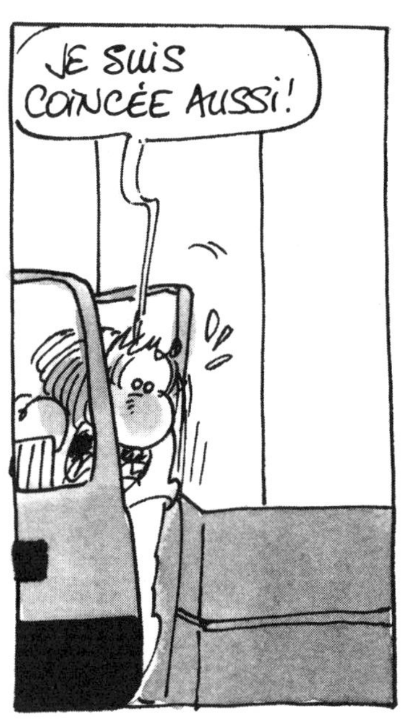
JE SUIS COINCÉE AUSSI !

ATTENDS, JE VAIS AVANCER UN PEU POUR NOUS DÉGAGER !
VROM VROM
AH ! QUAND MÊME !

33

ET MERDE!!
QU'EST-CE QU'IL Y A?
L'AUTRE, DERRIÈRE, AVANCE AUSSI!
SI TOUT LE MONDE EN FAIT AUTANT, ON VA JAMAIS S'EN SORTIR!

DITES, ÇA VOUS ENNUIERAIT DE RECULER, VOUS ÊTES SUR MON TICKET!
RECULER?
NOOOON! STOOOOP N'AVANCEZ PAS NE...

EST-CE QUE VOUS POUVEZ RECULER POUR PERMETTRE A CELUI DE DEVANT DE RECULER POUR QUE JE PUISSE PRENDRE MON TICKET?
RECULER?
NON, NON! STOOOOOP! NE...

EH BIEN, JEAN-FRANÇOIS, ICI, C'EST LA PANIQUE! ALORS QUE RIEN NE LE LAISSAIT PRÉVOIR, ON NOUS SIGNALE UN BOUCHON MONSTRE AU NIVEAU DU PÉAGE, DONT L'ORIGINE EST ENCORE INEXPLIQUÉE!

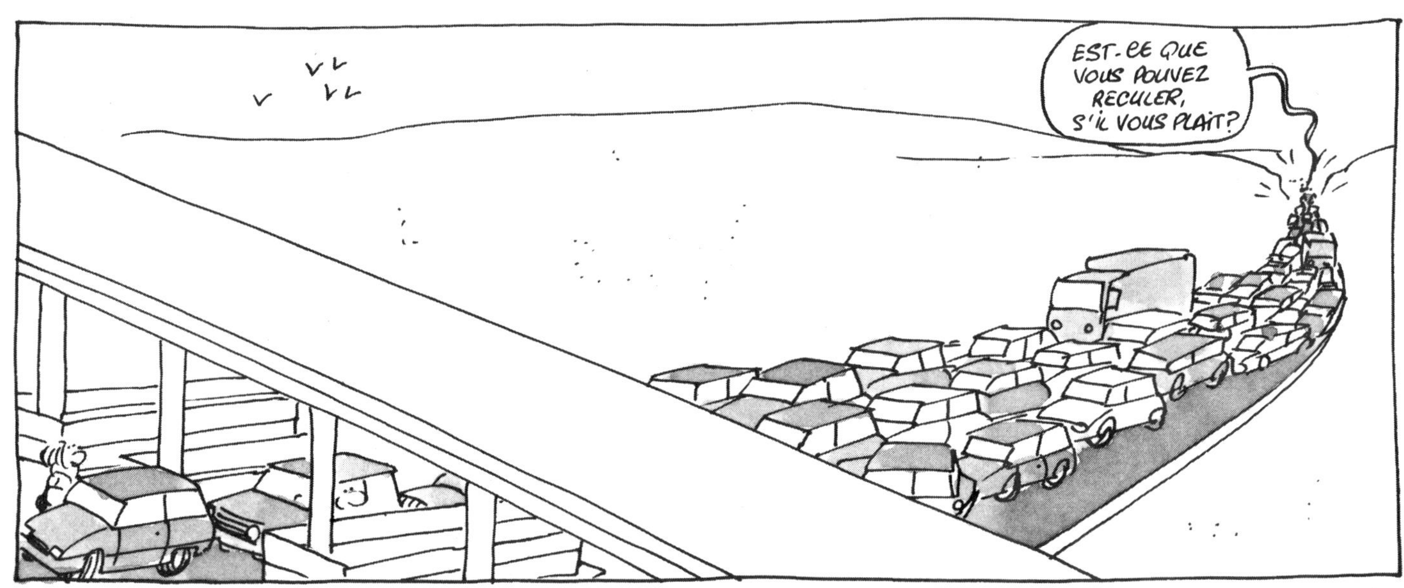
EST-CE QUE VOUS POUVEZ RECULER, S'IL VOUS PLAIT?

34

DEUX HEURES QU'ON ROULE SUR CETTE AUTOROUTE, ON VA S'ARRÊTER POUR MANGER!
OH, PAS MOI!
CHAMBORD
PROCHAINE SORTIE

JE COMMENCE SEULEMENT À NE PLUS AVOIR MAL AU COEUR, C'EST PAS POUR ALLER MANGER À NOUVEAU!
JE T'ATTENDRAI DANS LA VOITURE!

ON VA S'ARRÊTER ÇA!
AIRE DE REPOS
200 m
30 Km
95

PET
PROUT
PET
PROTCH
PROUT
PROAAT
PRÔMP
PROUT
PROUATCH
PROT
PROAT
PROUT
PET
PROUT
PROUT
PISSSS
LÀ-BAS, TU AS UNE PLACE!
PROUT
PROUT
PET

ALORS, VRAIMENT, TU NE VEUX MÊME PAS GRIGNOTER?
NON, NON! JE VAIS ALLER FAIRE UNE PROMENADE DANS LES BOIS, ÇA ME FERA DU BIEN!

SELF
ENTRÉE
FONTAINE POUR NOS AMIES LES BÊTES

35

S'IL VOUS PLAIT, MESSIEURS DAMES, JE VOUS DEMANDERAI D'ATTENDRE D'ÊTRE À VOS PLACES POUR COMMENCER À MANGER!
PAS LE TEMPS!!
ON DOIT ÊTRE À ARCACHON AVANT SEPT HEURES POUR RÉCUPÉRER LES CLÉS DE LA LOCATION!
ENTRECÔTE FRITES
STEAK FRITES
SAUCISSE FRITES
FRITE FRITES
ET POUR NOUS?
UNE ENTRECÔTE FRITES!
HIPS

DÉSOLÉE, MONSIEUR, MAIS ON NE PEUT PAS VOUS VENDRE D'ALCOOL SI VOUS NE MANGEZ PAS AVEC!
AH BBON?

ON A FAIT DU 95 ÇA DEVRAIT ALLER!
ON EST DANS LES TEMPS!
MA MOYENNE EST BONNE!
SI ON CONTINUE COMME ÇA, ON DEVRAIT ARRIVER À L'HEURE!

EST-CE QUE CETTE PPLACE EST DDISPONIBLE OU SEULEMENT NEUFPONIBLE?
HEU... OUI, OUI, JE VOUS EN PRIE!
YAOURT

JE MMM'PRÉSENTE: F. DOTTIN!
HEU... R. BIDOCHON!

?

36

AAHAHAHAHA! JE BBLOUSE TOUT LE MONDE AAVEC ÇA!!!

C'EST MON MÉTIER!!
JE SUIS REPRÉSENTANT EN PROTHÈSES MÉDICALES!
HA HA HA
DES PIEDS ET DES MAINS, J'EN AI PLEIN MA VOITURE!
HA HA HA

TENEZ, VOICI MA CARTE!

...TOUT LE TEMPS SUR LES ROUTES, JE POURRAIS CONDUIRE LES YEUX FERMÉS!
JE VOUS OFFRE UN VERRE?
NONNONNON, JE DOIS REPRENDRE LA ROUTE!!
ET ALORS? C'EST PAS MOI QUI VAIS VOUS CAFTER!
HAHAHA

MA FFFEMME M'A QUITTÉ PASQUE JE BUVAIS ET MMAMAN A DIT QUE ÇA MME DONNAIT MAUVAISE HALEINE...
TTOUTES DES SALOOPES!!

37

EN REVENANT DE NANTES, LA BITE DU CUL, LA BITE DU CUL...
EH BIEN, JE VAIS VOUS LAISSER TERMINER VOTRE REPAS ET REJOINDRE MA FEMME QUI DOIT M'ATTENDRE...

ALORS, CETTE PROMENADE DANS LES BOIS?
LES GENS SONT DÉGOÛTANTS, J'TE JURE!!

ET TOI, TON REPAS?
BIEN! À PART UN TYPE COMPLÈTEMENT BOURRÉ!
HEUREUSEMENT QU'ON REPART AVANT LUI, PARCE QUE ÇA DOIT PAS ÊTRE DE LA TARTE DE ROULER DERRIÈRE!

A CETTE HEURE-CI, C'EST TRANQUILLE, ON DEVRAIT ARRIVER DANS LES TEMPS!
OH! ENCORE UN CHATEAU!
AZAY LE RIDEA
PROCHAINE SORTIE

IL EST JOLI AUSSI CELUI-LÀ!
OUI, MAIS JE PRÉFÈRE QUAND-MÊME CELUI DE TOUT À L'HEURE!
RGBAAA

38

QU'EST-CE QUE...???
ALORS, LA VOIE DE GAUCHE LEUR SUFFIT PLUS, MAINTE-NANT, IL LEUR FAUT AUSSI CELLE DE DROITE!!
DÉGAGE DÉGAGE

YAOUU

TU... TU LE CONNAIS?
C'EST LE TYPE BOURRÉ QUI ÉTAIT À TABLE AVEC MOI!!!
HÉ! LE DDERNIER ARRIVÉ AU PÉAGE PPAYE UN COUP À L'AUTRE!!
PROTECAL
PREMIÈRE PROTHÈSE MÉDICALE

VROOOAAAAAAAAAAAA
REGARDE-MOI CE FOU!!!

ET DIRE QUE PERSONNE N'EMPÊCHE DES DANGERS PA-REILS DE PRENDRE LE VOLANT!!

39

(1) LES CANDIDATS AU PERMIS DE CONDUIRE PEUVENT SUIVRE LA MANOEUVRE AUX PAGES 175 ET 177 DE LEUR MANUEL.

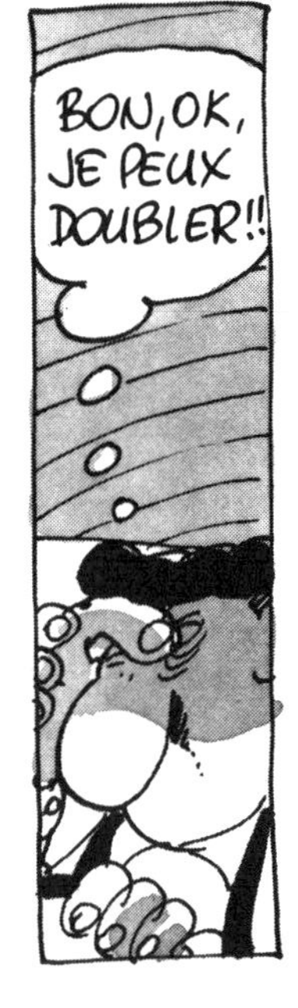

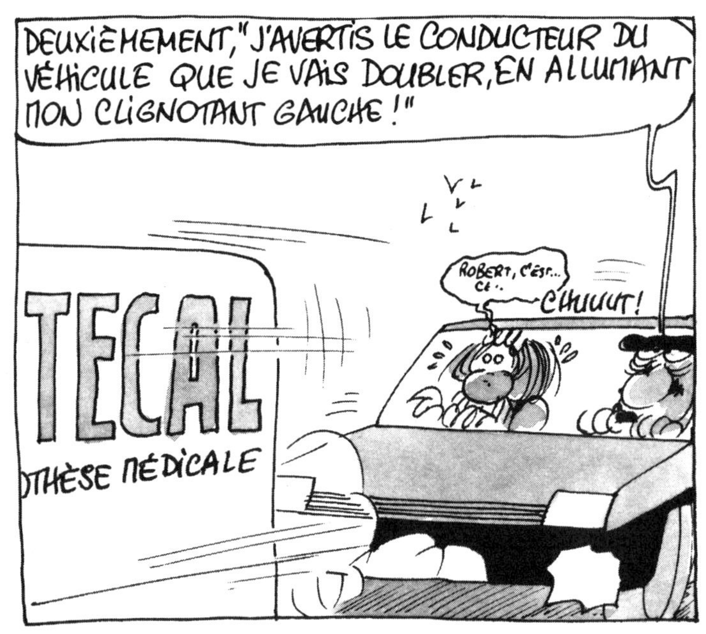

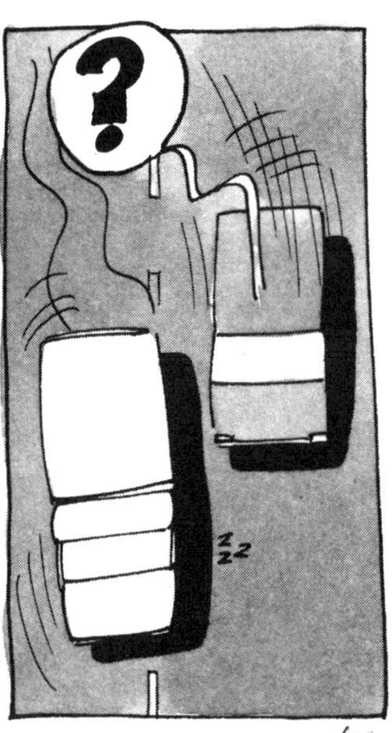

40

BONG
ZZZ
ZLING
¿E CON?

ROBERT!!

KRiiii...
CRAC

HORREUR!!
FLAP
FLAP
FLAP

41

338
338

LES VÉHICULES SONT EN BOUILLIE, LES GENS SONT COINCÉS DANS LES VOITURES, LA CHAUSSÉE EST JONCHÉE DE MEMBRES HUMAINS... C'EST L'ENFER!!!
CALMEZ-VOUS, NOUS ARRIVONS!!

LOUIS, Y EN A UN QUI BOUGE ENCORE!!
C'EST UN VRAI ACCIDENT!!

VITE, LE BOUQUIN QUE TU M'AS OFFERT À NOËL!!
DANS LA BOÎTE À GANTS!!
PASTIS

GUIDE DE LA ROUTE

AH!
NOTIONS DE SECOURISME!
CHAPITRE I
LES GESTES QUI SAUVENT!!
GUIDE DE LA ROUTE

NON NON NON NON, SURTOUT, RESTEZ ALLONGÉ, JE DOIS VOUS FAIRE LE BOUCHE À BOUCHE!!
HEIN?

JE DOIS VOUS FAIRE LE BOUCHE A BOUCHE, C'EST ÉCRIT LA-DEDANS !!
MAIS, ÇA VA TRÈS BIEN !

ALORS, LAISSEZ-MOI STOPPER VOTRE HÉMORRAGIE !!
JE VOUS DIS QUE ÇA VA TRÈS BIEN !!

A VOTRE FEMME ALORS !!
MAIS VOUS ALLEZ NOUS FOUTRE LA PAIX !!!

SI VOUS VOULEZ VOUS RENDRE UTILE, ALLEZ DONC VOIR COMMENT SE PORTE LE CHAUFFEUR DE L'AUTRE VÉHICULE !!
AH, PARCEQU'IL Y EN A UN AUTRE ?

ÇA VA RAYMONDE ?
MAIS, C'EST DÉGUEULASSE, IL EST PLEIN DE SANG !!!
PASTIS

RIEN DE CASSÉ ?
C'EST MERVEILLEUX, N'EST-CE PAS ?
HEU... OUI !
DANS UN SENS, OUI ! C'EST VRAI QU'ON AURAIT PU Y RESTER !!

PIN PON PIN PON
J'ENTENDS DES TROMPETTES !!
C'EST LES SECOURS !

PIN PON PIN PON PIN PON
VOUS ME FAITES REMONTER TOUT ÇA DANS LES VOITURES ET VOUS FAITES CIRCULER !!
SI L'ESSENCE COULERAIT ET QUE LES VOITURES FLAMBERAIENT, LES CORPS CALCINERAIENT !!
HEUREUSEMENT QUE ÇA N'ARRIVERAIT PAS, PARCE QUE ÇA SERAIT HORRIBLE !!
PIN PON PIN PON
PASTIS

43

REGARDE, ROBERT, L'ARCHANGE GABRIEL!
HEIN?
TRIiii TRIiii

QU'EST-CE QUI LUI ARRIVE?
SANS DOUTE LE CONTRECOUP!

JEAN, TU LES METS DANS L'AMBULANCE ET TU LES CONDUIS À L'HOPITAL!!
BON!
LA PORTE EST COINCÉE, VA ME CHERCHER LA CISAILLE DANS LE V.S.R.!
JE VOUS RECONNAIS! VOUS ÊTES DÉJÀ PASSÉ TOUT À L'HEURE!!
AH BON?
MAIS... C'EST DU PLASTIQUE!!
TRIiii TRIiii
EST-CE QUE VOUS ALLEZ POUVOIR MARCHER JUSQU'À L'AMBULANCE?
OUI, OUI, ÇA VA ALLER!!
44

EST-CE QUE VOUS TENEZ ABSOLUMENT À EMMENER CET OBJET, MADAME ?
OUI, C'EST POUR SAINT FRANÇOIS D'ASSISE !
SAINT FRANÇOIS D'ASSISE ???

SAINT FRANÇOIS ADORE LES ANIMAUX !
ON Y VA !
OK ! JE FAIS DÉGAGER !

PIN PON PIN PON PIN PON PIN PON PIN PON
J'ENTENDS ENCORE LES TROMPETTES !
EST-CE QUE ÇA VA ÊTRE LONG POUR MONTER ?
MONTER ?

PIN PON PIN PON PIN PON PIN PON
ON NOUS EMMÈNE BIEN AU PARADIS, N'EST-CE PAS ?
AU PARADIS ???

AH, OUI, BIEN SÛR...
OUI...
AU PARADIS !
PIN PON PIN PON PIN PON PIN PON PIN PON

CET ALBUM EST DÉDICACÉ :

A la prudence.
A la courtoisie.
A un trafic où tous les automobilistes se donneraient la main et passeraient des jours entiers à se faire des politesses aux carrefours.

CET ALBUM N'EST PAS DÉDICACÉ :

Aux fonceurs du Dimanche en famille.
Aux sanguins du bitume.
Aux alcooliques bien-pensants et à ceux qui les regardent prendre le volant en rigolant.

D'UNE FAÇON GÉNÉRALE, CET ALBUM EST DÉDICACÉ À TOUS LES USAGERS DE LA ROUTE, AVEC QUI MES RAPPORTS FURENT AUSSI DIVERS QU'ENRICHISSANTS.

Éditions Audie, 33, avenue du Maine, BP 187, 75755 Paris Cedex 15. Tél.: 43.20.23.96
Imprimé par Maury et relié par Brun à Malesherbes
Dépôt légal septembre 1996. Dépôt initial août 1988. ISBN 2-85815-116-4
Diffusion France et Etranger : Flammarion